红菇娘

文／彭 懿　图／张哲铭

妈妈常说，天天是她小时候最难忘的滋味。
一到夏天，一嘟噜一嘟噜的天天会从绿色变成紫色，
她就在山沟沟里追着吃，
它们紫到哪儿，她就吃到哪儿。

明天出版社

今年，舅舅来接我，我第一次去姥姥家过暑假。
"姥姥，我来啦——"

我围着姥姥家转了好几圈，
只在栅栏下边找到一棵结着小果的草，
看上去，就像一嘟噜一嘟噜缩小了的葡萄。
"这就是天天吧？"
我伸手揪下一粒，小心地放到了嘴里。
"哇，好甜！"
我吃了一嘟噜又一嘟噜……
舍不得吃完，我要留着慢慢吃。

想不到第二天，我的天天
居然被一只小山羊给吃掉了！
"这是你的小山羊？"
"嗯呐。"
"它吃了我的天天，你也不管？"
"嗯呐。"
"你赔、你赔、你赔——"
我像一只愤怒的小羊，
头一低，就朝他顶了过去。

"他叫蝈蝈，他一定是来看你的。"姥姥说。

"他为什么叫蝈蝈？"

"你看他那个大脑袋，方方正正的，不像个蝈蝈像什么！"

我笑了，抬起头一看，蝈蝈和他的那只小山羊已经跑出老远了。

下午，蝈蝈来啦。
他用背心兜来一兜红果子，送给我：
"给，赔你的！"
"这是什么呀？"
"红菇娘。"
它看上去，就像一个
红色的小灯笼。

蝈蝈熟练地把外边那个小口袋剥开，
里头是一粒火红火红晶亮的小圆果子。

"你吃！"他说。
我小心地咬了一小口。
啪，它裂开了，一股有点儿涩的汁……
涩味马上就过去了，
流出来的，是一股酸甜酸甜的汁。
和汁一起流出来的，
还有一粒粒砂糖一样的籽儿。
轻轻一嚼，它们还会发出
嘎吱嘎吱的响声。

"比天天要好吃吧？"
"嗯呐。"
"还要吗？"
"嗯呐。"
我也会说嗯呐了。

“这是从哪里摘来的啊？”
蝈蝈爬到大树上，随手朝远处指了一下。
“白桦林后边的山沟沟里。”
“那么远啊……”我在树下嘟哝了一声。
这时，那只小山羊凑了过来，一边用一对小犄角轻轻地顶我，
一边咩咩地叫个不停。

可能是我们侵占了它们的地盘，
大公鹅冲过来，冲着我嘎嘎叫。
蝈蝈跳下来挡住我，大声地喊了一声"嗯呐"，
大公鹅这才不情愿地走开。

隔天下午，我决定自己出发去找红菇娘了。
一只记仇的大公鹅，在路上凶巴巴地拦住了我。
直到我对它说了一声"嗯呐"，
它这才屁股一扭一扭地走开了。

出了小村，有一条小河，
一群光屁股的小男孩正在那里扑通扑通地跳水。
蝈蝈看见了我，一脸的惊奇。
他连忙跳到了河里，大声地问我：
"你去哪里啊？"
我没有回答他，从小河的堤坝上跑了下来。

走过小河，还没有翻上那座小山，
天上突然下起了太阳雨。
我连忙躲在一片大叶子下，举起梗来当雨伞。
我蹲下来的时候，
发现边上竟还有一只大癞蛤蟆也在避雨。
我结结巴巴地说："你……你好。"

穿过白桦林，林子里开满了一串串蓝紫色的风铃花，
看上去就像一个个小铃铛。
要是有风吹过，它们就会发出"嘀铃、嘀铃"的声音吧？

我采了一大把风铃花，编起花环来了。
我正编得起劲，身后忽然响起了沙沙声，
草丛中有个东西晃动了一下，
吓得我心都快要跳出来了。

什么呀，是蝈蝈的那只小山羊！
它不知道什么时候跟了上来。
看到我，它又是咩咩叫，又是用一对小犄角顶我，
还抢过我的花环，从一个大窟窿里钻了进去。
我赶紧追过去。

想不到下面是一个长长的斜坡，
我一下没站稳，叽里咕噜地滚了下去。
当我停下来，已经躺在一个山沟沟里了。

满天的大叶子、满天的红灯笼……
我简直不敢相信自己的眼睛……
我找到红菇娘儿了吗？我找到红菇娘儿了吗？

我吃得正欢，蝈蝈突然冲到了我的身边。
"你也到这里来了呀？"
"也……到这里？
嗯呐，我每天都到这来摘红菇娘的呀。"
我愣住了，委屈地叫了起来：
"可这一大片红菇娘，明明是我发现的啊！"
蝈蝈忍不住笑了，说：
"嗯呐、嗯呐，都是你发现的，
你要是喜欢，就都送给你吧！"

"这只小山羊叫什么名字呢？"
"它没有名字。"
"我给它起个名字好吗？"
"嗯呐。"
"就叫它嗯呐吧！"
"嗯呐。"
"嗯呐。"

作者介绍

彭懿,幻想小说研究者、作家,著有《幻想文学:阅读与经典》及《我捡到一条喷火龙》《我把爸爸养在鱼缸里》等二十多部长长短短的幻想小说。《红菇娘》是他几十年来创作的第一个写实故事,灵感来自于他故乡东北的一条小路。那条小路很短,不足百米长,一头拴着一只长着犄角的小羊,一头是一片火红的红菇娘田……三年前的夏天,因为一个特别的原因,他每天都会走过这条小路。有一天,他随手摘了一个红菇娘,于是便回忆起自己的童年,写下了这个对他来说有一层特别纪念意义的故事。

绘者介绍

张哲铭,图画书创作者,曾以长达430厘米的绘卷《浯岛四月十二日迎城隍》,绘出当地庙会锣鼓喧天、欢欣鼓舞的城镇风貌,荣获2010年台湾出版奖,入选2011年意大利博洛尼亚插画展、2012年意大利教区博物馆帕多瓦第六届国际展览会。他喜欢鹿,2003年曾以《木之绘本小鹿》入选意大利博洛尼亚插画展,并在2015年出版的《雪鹿》中,向孩子传达对环境的关爱之情。

图书在版编目(CIP)数据

红菇娘／彭懿文;张哲铭图.
—济南:明天出版社,2017.4
(信谊原创图画书系列)
ISBN 978-7-5332-9130-3
I.①红…II.①彭…②张…III.①儿童故事—图画故事—中国—当代IV.①I287.8
中国版本图书馆CIP数据核字(2017)第058031号
山东省著作权合同登记号 图字:15-2017-076号

Looking for Red Lantern Berries
Text © Peng Yi, 2017
Illustrations © Chang Che-Ming, 2017

红菇娘

文／彭懿 图／张哲铭
总策划／张杳如 责任编辑／凌艳明 美术编辑／李宝华
特约编辑／廖瑞文 汪郁洁 张小莹 特约美编／王素莉
出版人／傅大伟 出版发行／山东出版传媒股份有限公司 明天出版社
地址／山东省济南市胜利大街39号 网址／www.tomorrowpub.com www.sdpress.com.cn
特约经销商／上海士谊贸易有限公司 地址／上海市静安区南京西路1788号1903室
电话／86-21-62813681 网址／www.xinyituhuashu.com 经销／各地新华书店
印刷／深圳当纳利印刷有限公司 开本／250毫米×230毫米 12开 印张／3.5
版次／2017年4月第1版 印次／2017年4月第1次印刷
ISBN 978-7-5332-9130-3 定价／38.80元
版权所有 侵权必究